CIENCIA ABIERT...

Las mujeres en la biología

Escrito por Mary Wissinger
Ilustrado por Danielle Pioli

Creado y editado por John J. Coveyou

Science, Naturally!
An imprint of Platypus Media, LLC
Washington, D.C.

¿Cómo se hace una mariposa?

Una oruga crece y se convierte en mariposa, pero nadie sabía exactamente cómo pasaba ese cambio o metamorfosis...

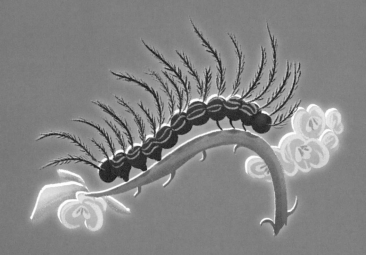

...hasta que llegó Maria Sibylla Merian.

A ella le gustaban tanto los insectos que pasó años observándolos y dibujándolos. Cruzó el océano para estudiar los ciclos de vida de las orugas y de otros insectos.

7

(Alemania, 1647–1717)

Los dibujos de Maria eran hermosos y estaban llenos de detalles, y por eso les dieron a los científicos mucha información importante sobre los insectos y las plantas.

Sus dibujos fueron usados en el sistema de Linneo,
que es el que organiza a todos los seres vivos. Este
sistema es importante en toda la biología.

Espera. ¿Qué es la biología?

Bueno, si te comparamos con una roca, podemos encontrar muchas diferencias. Pero la diferencia más grande es que tú estás vivo y la roca no. La biología estudia todo lo que está vivo, ¡como las plantas, los animales y tú también! Los humanos han estudiado la vida por mucho tiempo.

Hace casi mil años, Hildegarda de Bingen escribió sobre la biología y la medicina. En ese entonces, las personas no entendían que podían enfermarse si tomaban agua sucia.

Hildegarda descubrió que primero debían limpiar el agua y eso evitaba que las personas se enfermaran. También estudió cómo se podían usar las plantas como medicinas y compartió sus ideas para que las personas pudieran ser más sanas.

(Alemania, 1098–1179)

Entonces...
¿la biología hace que no me enferme?

Puede hacerlo, porque la biología nos enseña cómo funciona el cuerpo.

Cuando sabemos qué es lo que nos enferma, podemos descubrir formas para sentirnos mejor.

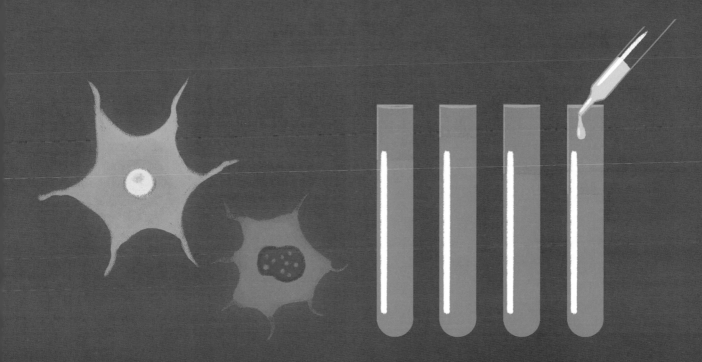

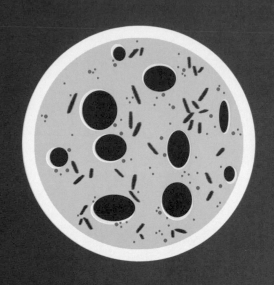

¡Tan solo mira a Jane Cooke Wright!

Ella fue una doctora que salvó muchas vidas haciendo experimentos en su laboratorio. Hizo crecer células en placas de Petri y luego observó el impacto de las diferentes medicinas en las células. Sus observaciones ayudaron a escoger los mejores tratamientos para sus pacientes.

(Estados Unidos, 1919–2013)

17

¿Qué son las células?

Todos los seres vivos están hechos
de células—¡en tu cuerpo hay billones
de células!

Cada célula tiene un trabajo especial.
Las células de los músculos te ayudan
a moverte y las células de tu piel
protegen tu cuerpo.

Las células dentro de tu nariz
te ayudan a oler las cosas.

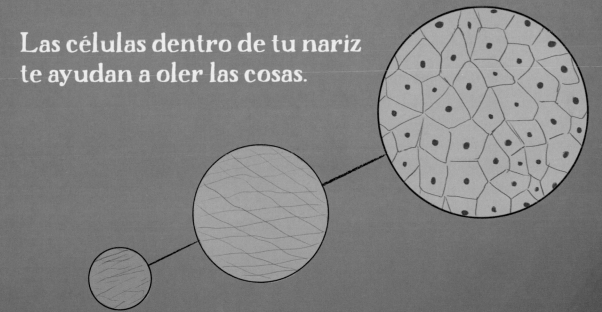

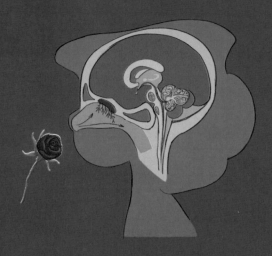

Linda Buck ganó un Premio Nobel porque ayudó a descubrir que las células de la nariz tienen unos receptores de mensajes muy pequeñitos.

Cuando los olores llegan a los receptores, las células envían mensajes a tu cerebro.

Por eso, incluso si cierras tus ojos, puedes oler la diferencia entre una flor y un perro.

21

(Estados Unidos, 1947–)

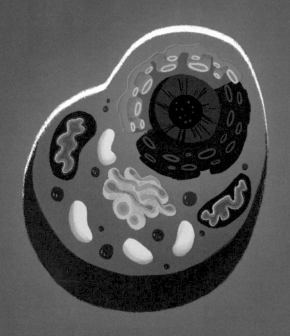

¡Guau! ¿Pero cómo saben las células
cómo hacer su trabajo especial?

Dentro de cada célula hay un manual de instrucciones llamado ADN.

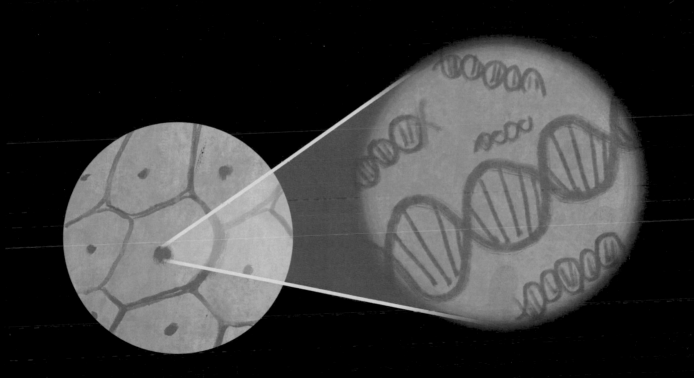

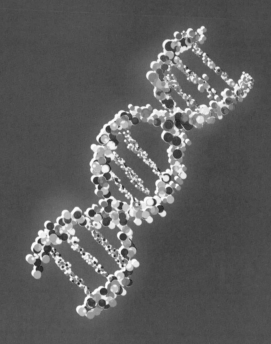

Es como un plano o un plan para todo tu cuerpo.
El ADN le dice al cuerpo cómo fabricar células y
construir las partes del cuerpo como los músculos, los
huesos y la piel. También determina el color de tus ojos
y de tu cabello, y es lo que hace que tú seas tú.

Pero el ADN no solo está en las células de las personas.
También está en todos los seres vivos.

Barbara McClintock estudió el ADN en el maíz
y descubrió algo sorprendente. ¡Al ver los colores
en los granos de maíz, aprendió que las partes del
ADN—los genes—pueden cambiar de lugar!

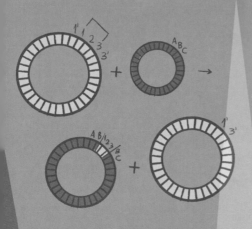

Cromosomas

Genes saltarines

(Estados Unidos, 1902–1992)

27

Ella nombró a esos genes saltarines como transposones.

Los transposones fueron una sorpresa tan grande que pasaron muchos años antes de que los científicos se dieran cuenta de que ella estaba en lo correcto y le dieran un Premio Nobel.

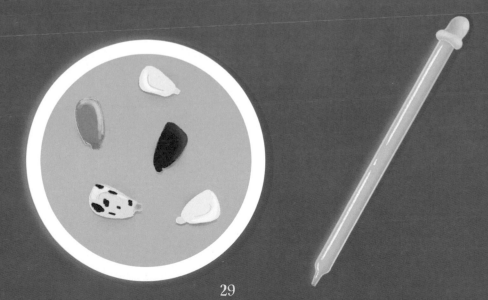

A Barbara le gustaba mucho solucionar problemas difíciles. Cuando se planteaba una hipótesis—o una suposición científica—se esforzaba mucho en su investigación y en sus experimentos para encontrar las respuestas.

Y eso es bueno porque su trabajo con el ADN y los transposones nos enseñó mucho sobre nuestros genes y el ADN.

Puedes empezar a investigar ahora. Escoge algo que te guste y haz una pregunta.

¡Muy bien! ¿Por qué algunas mariposas
tienen colores diferentes?

Vamos, haz tu suposición—
esa es tu hipótesis.

Luego, observa viendo muy de cerca y mira si adivinaste.

Los resultados podrían sorprenderte.

¿Puedes encontrar a...?

Maria Sibylla Merian (ma-RI-a si-BEI-la ME-ri-on)

Hildegarda de Bingen (IL-de-garda de BIN-guen)

Linda Buck (LIN-da BOC)

Barbara McClintock (BAR-ba-ra mac-CLIN-toc)

Jane Cooke Wright (YEIN CUC URAIT)

Glosario

ADN (ácido desoxirribonucleico): El plan escrito en las células de los seres vivos (como las plantas, animales y personas) que le dice a cada célula y, como consecuencia, al cuerpo, cómo crecer y funcionar.

BIOLOGÍA: El estudio científico de los seres vivos.

CÉLULAS: Compartimientos pequeños que contienen el equipo biológico que mantiene a un organismo vivo y funcionando. Las células son la unidad estructural básica para todos los organismos.

EXPERIMENTO: Prueba para recopilar información sobre el mundo para ver si una hipótesis es correcta.

GENES: Secciones más pequeñas del ADN que contribuyen a cómo se ven y crecen algunas partes específicas de los seres vivos (como el color del maíz o de nuestro cabello y ojos).

HIPÓTESIS: Suposición científica que hace un científico para explicar algo que cree que es cierto o que va a pasar.

INVESTIGACIÓN: Examinar y estudiar algo para aprender cosas nuevas sobre ello.

METAMORFOSIS: El cambio por el que pasa una oruga cuando se convierte en mariposa.

OBSERVACIÓN: Usar nuestros sentidos para recopilar información sobre el mundo.

PREMIO NOBEL: Premio dado por trabajo sorprendente en química, física, fisiología o medicina, literatura o economía. ¡Obtener un premio Nobel es uno de los honores más grandes que puede recibir un científico!

RECEPTOR: Una parte pequeña de una célula que deja que la célula sienta y responda a las cosas a su alrededor.

SISTEMA DE LINNEO: Forma de organizar a todos los seres vivos en grupos con base en las características que tienen en común.

TRANSPOSONES (genes saltarines): Genes que pueden cambiar de lugar con otros genes en una cadena de ADN.

Bibliografía

El legado de Hipatia: Una historia sobre las mujeres en la ciencia, desde la antigüedad hasta el siglo XIX [Hypatia's Heritage: A History of Women in Science from Antiquity through the Nineteenth Century] por Margaret Alic (Beacon Press, 1986).

Mentes magníficas: 16 mujeres vanguardistas en la ciencia y la medicina [Magnificent Minds: 16 Pioneering Women in Science and Medicine] por Pendred E. Noyce (Tumblehome Learning, Inc., 2015).

Científicas notables [Notable Women Scientists], editado por Pamela Proffitt (Gale Group, 1999).

Mentes extraordinarias: Otras 17 mujeres vanguardistas en la ciencia y la medicina [Remarkable Minds: 17 More Pioneering Women in Science and Medicine] por Pendred E. Noyce (Tumblehome Learning, Inc., 2015).

Ciencia abierta: Las mujeres en la biología
Copyright © 2020 Genius Games, LLC

Written by Mary Wissinger
Illustrated by Danielle Pioli
Created and edited by John J. Coveyou

Published by Science, Naturally!
Spanish paperback first edition • October 2020 • ISBN: 978-1-938492-07-5
Spanish eBook first edition • October 2020 • ISBN: 978-1-938492-29-7
English hardback first edition • 2016 • ISBN: 978-1-945779-09-1
    Second edition • November 2019
English paperback first edition • October 2020 • ISBN: 978-1-938492-30-3
English eBook first edition • 2016 • ISBN: 978-1-945779-12-1
    Second edition • November 2019

Enjoy all the titles in the series:
    Women in Biology • Las mujeres en la biología
    Women in Chemistry • Las mujeres en la química
    Women in Physics • Las mujeres en la física
        More titles coming soon!

Teacher's Guide available at the Educational Resources page of ScienceNaturally.com.

Published in the United States by:
    Science, Naturally!
        An imprint of Platypus Media, LLC
    725 8th Street, SE, Washington, D.C. 20003
    202-465-4798 • Fax: 202-558-2132
    Info@ScienceNaturally.com • ScienceNaturally.com

Distributed to the trade by:
    National Book Network (North America)
        301-459-3366 • Toll-free: 800-462-6420
        CustomerCare@NBNbooks.com • NBNbooks.com
    NBN international (worldwide)
        NBNi.Cservs@IngramContent.com • Distribution.NBNi.co.uk

Library of Congress Control Number: 2020016425

10 9 8 7 6 5 4 3 2 1

Printed in Canada